JN034297

酒井誠至
SAKAI Seiji

# 南極のたどりつき方
## ～キミも南極に学ぼう～

文芸社

## 目　次「南極のたどりつき方」

# はじめに

「無人島に持っていくなら、何を持っていく？」

　よくある質問だね。さらに続けて、

「誰か仲間を連れていくとしたら、誰を連れていく？」

　何か１つ？　誰か１人？　困ってしまうね。選べないよ。

　ボクが南極の昭和基地に降り立った時、荷物をたくさん持っていったし、90名ほどの仲間がいました。１人では生きていけないよね。年に１回の船が行き来するだけの昭和基地。やっぱり特別な知恵と工夫がいる場所でした。

　ところで、なんでそんな大変なところにいくんだろうね、観測隊って。ボクは観測隊に教員という立場で参加しました。研究者でもなく、それをサポートする立場でもなく、授業のネタの取材のために、基地の中を歩き回りました。そうするとね、確かに南極は研究対象としての魅力があふれる場所だった。誰も知らない秘密がまだまだ隠されている。ボクが見つけたその秘密の一角を紹介することが、この本の目的の一つだ。少しだけネタバラシをすると、南極はボクのふるさととはまったく異なる風景だった。風景だけでなく、そこに住む生物も気候も。この地球の環境は多種多様だ。その多様な世界を見ているとふるさとのこともよく見えてくる。そんなお話。

　バラエティといえば、昭和基地で働く人々も多種多様だった。さて、キミは現在の日本にある職業をいくつ、言うことができるだろう。自分の家族の職業と、テレビドラマによく出てくるような職業はすぐに思い起こすことができるね。で

も、ホントはもっとたくさんあるはずだ。そして、存在するからには、その職業は世の中から必要とされていて、現代社会を、そしてボクたちの生活を支えてくれているんだよね。

　この本では、南極地域観測隊の隊員とその仕事についても、ごく一部ではあるけれど紹介するよ。長い期間、孤立した社会を支える上で欠かせない人たちばかり。彼らがどんな思いでその職業につき、どうやって南極にいくことになったのだろう。そう、「南極にいく」と一言でいっても、その道のりは多種多様なんだ。

　これはとっても重要なことだ、たぶんキミにとっても。

　今、キミには何か夢があるかな？　今はなくてもこれからたくさん出てくるかもしれない。実現できるか不安になることがあるかもしれない。でも大丈夫。そのための作戦はたくさんある。行動的な人、おとなしめの人、体力自慢の人、物知りな人……色んなタイプがいるからね。この本を読み終わった時、キミが「自由にしていいんだな」って思ってくれたらボクは大成功。

　さぁページをめくって、冒険に出かけよう。

# 南極観測隊の基礎知識

# ●南極ってどんなところ？

地球を南へ南へと進んでいったら、どこにいき着くんだろう？ 200年前までは誰にもわかっていませんでした。なぜって、いけばいくほど海は荒れ、激しい嵐が襲いかかるから。

どんなに経験を積んだ船長も立派な船も、南極海を乗り越えていくことができなかったといいます。でも、嵐の向こうから巨大な氷山が流れてくることがありました。そしてその氷を舐めてみると、「しょっぱくない！」――ということは、この氷山は海水が凍ったのではなく、巨大な陸地でできたということです。あの嵐の奥には大陸があるはずだ。いけないとなると、逆に想像がふくらんでしまうもので、南の果ての幻の大陸は夢の宝島として船乗りたちのあこがれの的でした。

私たちはもちろん、そこに何があるか知っています。オーストラリア大陸の２倍もの面積を持つ、厚い氷におおわれた白い大陸、南極大陸です。

## ●氷山とは？

流氷は海水が凍ってできますが、氷山は大陸にふりつもった雪がかたまりとなって海に流れ出したものです。

8

　その南極大陸が発見されたのは1820年。ロシア海軍のベーリングスハウゼン、イギリス海軍のブランスフィールド、アメリカ人のパーマーらがそれぞれ別々に到達しました。

　では、南極大陸はこの３つの国の領土なのでしょうか。

　いいえ、どこの国のものでもありません。共有財産としてみんなで利用することにしようという約束をしたのです。これを「南極条約」と言います。

　南極は地球で一番寒くなる土地。ということは、世界の気候を考える基準にすることができるかもしれません。この過酷な環境に生きる生物も発見されました。地下資源も発見されています。昔の人たちが考えた、「夢の宝島」というのは正しかったのかもしれません。

　南極は全ての人にいく権利がある、色々な可能性を秘めた大陸なのです。


●南極の地図

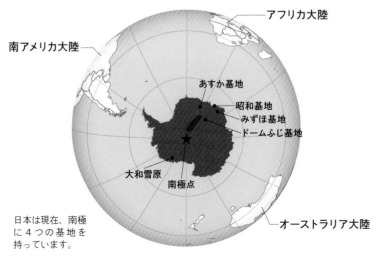

アフリカ大陸

南アメリカ大陸

あすか基地

昭和基地

みずほ基地

ドームふじ基地

大和雪原

南極点

オーストラリア大陸

日本は現在、南極に４つの基地を持っています。

## ●昭和基地

昭和基地は日本が最初に建設した南極観測の拠点です。正式名称は「国立極地研究所南極センター」。文部科学省の管轄です。

# ●南極観測隊って？

　正式名称は、「南極地域観測隊」（JARE：Japanese Antarctic Research Expedition）です。

　第1次観測隊が砕氷船「宗谷（そうや）」で南極を目指して出港したのは1956（昭和31）年11月。まだ日本が太平洋戦争からの復興に努力していたころです。科学の力で世界に貢献できることを示したい、そんな日本国民の希望を乗せての出航だったといいます。しかし諸外国の科学者たちは、資材もまだ乏しかった日本の観測隊は失敗するだろうと考えていました。なぜなら、日本隊に割り当てられた地域は、接近することすら不可能な場所と考えられていたからです。

　ですから、翌年1月に南極に到着し、「昭和基地」の建設に成功したというニュースは世界に大きな驚きを、日本国民には大きな自信を与えるものとなりました。

　その後の観測は、一時中断した時期もありますが、第7次隊以降は毎年派遣され、オゾンホールの発見、オーロラの仕組みの解明、氷河の研究をとおして過去72万年の気候変動を解明するなど多くの科学的な成果を上げています。

砕氷船「宗谷」。
（画像提供：国立極地研究所）

# 南極にたどりついた最初の日本人は？

白瀬矗という人です。日本の砕氷艦「しらせ」の名前の由来となった人です。

秋田に生まれた白瀬は、寺子屋の先生から北極点を目指す外国人の冒険の話を聞き、自分も挑戦してみたいと鍛錬を始めます。

陸軍軍人となった彼は、1893（明治26）年、寒地での経験を積むために、千島列島探検に参加します。そしていよいよ北極点到達に挑戦しようと思ったその矢先、アメリカの探検家ピアリーの到達成功のニュースを耳にします。先を越され失望した彼ですが、新たに南極点到達を目標に掲げ立ち上がります。そして全国からの募金や新聞社の支援を受け、1910（明治43）年11月、開南丸という小さな船で出発。1度は失敗しますが、1912（明治45）年1月、南極への上陸を成し遂げます。

すぐに南極点を目指し出発しますが、すでにノルウェーのアムンゼン隊に先を越されていたのです。

白瀬は南極点にはたどりつきませんでしたが、この明治の挑戦が第1次観測隊派遣の大きな原動力となりました。彼が命名したロス氷棚そばの「大和雪原（やまとゆきはら）」の名は、今も正式な名称として使われています。

南極探検当時の白瀬。
全身を毛皮で包み防寒していました。

# ●南極までどうやっていくの？

行き

　現在の南極観測隊を南極に運んでいるのは、2代目の砕氷艦「しらせ」です。11月中旬、東京を出港した「しらせ」は、およそ半月をかけてオーストラリア西部にあるフリーマントル港に到着します。

　大部分の隊員は、飛行機で追いかけ、フリーマントルで合流。ここで生鮮食品や燃料など、最後の荷物の積み込みをして出港。昭和基地までおよそ1カ月の航海。途中で海洋観測なども行いながら船を進めます。そして、海氷を割り進め、12月下旬、夏を迎えた南極の昭和基地に到着するのです。

帰り

　2月末に「しらせ」は昭和基地を離れます。海洋調査をしながら、およそ1カ月の航海をへてオーストラリアのシドニー港に到着。3カ月ぶりに都会の交差点に立った時の興奮。行き交う人や車にびっくり。「お会計、うまくできたよ！」昭和基地ではお金を使うことがないのです。「人間の世界」に戻ってきたことを実感します。

　3月下旬、同行者を含む多くの隊員は、シドニーより空路日本に帰還します。残りの隊員を乗せてシドニー港を出港した「しらせ」は、1カ月の航海を経て4月上旬、ようやく東

京の晴海に戻るのです。

## ●日本↔南極ルートMAP

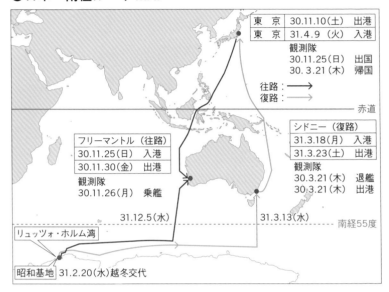

| 東　京 | 30.11.10（土） | 出港 |
|---|---|---|
| 東　京 | 31.4.9　（火） | 入港 |

観測隊
30.11.25（日）　出国
30. 3.21（木）　帰国

往路：⟶
復路：⟶

━━━ 赤道

| フリーマントル（往路） | |
|---|---|
| 30.11.25（日） | 入港 |
| 30.11.30（金） | 出港 |

観測隊
30.11.26（月）　乗艦

| シドニー（復路） | |
|---|---|
| 31.3.18（月） | 入港 |
| 31.3.23（土） | 出港 |

観測隊
30.3.21（木）　退艦
30.3.21（木）　出港

31.12.5（水）

31.3.13（水）

━ ━ ━ 南経55度

リュッツォ・ホルム湾

昭和基地　31.2.20（水）越冬交代

## ●砕氷艦「しらせ」（2代目）

"砕氷艦"という名前の通り、「しらせ」は凍った海の氷を砕きながら航海ができる船です。

14

# ●「越冬隊」と「夏隊」って？

　南半球にある南極は、北半球の日本とは季節がさかさまになります。ですから1月は夏。南極の夏はどれくらい暑いんだろう。

　1月の昭和基地の平均気温は－1℃、最高気温で5℃くらい。東京の真冬で平均気温が5℃です。昭和基地でも夏は雪が溶け、地面が見えてきます。海の氷はなくなることはありませんが、薄くなってきます。この時期を「しらせ」はめがけていくのです。

　夏隊は、この活動しやすい時期にさまざまな研究を行います。新しい研究施設の建設が行えるのもこの時だけ。船からの食料や燃料、研究資材の搬出など大忙しです。約50人の夏隊を含む、90人ほどの観測隊で昭和基地がにぎやかになります。

　でも、のんびりはしていられません。海はすぐに厚い氷に閉ざされてしまうのです。2月の後半には「しらせ」は出航しなければなりません。

　この時、乗船している観測隊は夏隊と去年の越冬隊。夏の初めに一緒に上陸した越冬隊は基地に残り、次に「しらせ」が来るまでの間、30人ほどの仲間だけで研究生活に入ります。昭和基地は、太陽が顔を見せない冬を迎えます。その生活を思いながら、「しらせ」は基地を離れます。

## ●「越冬隊」と「夏隊」の派遣期間の違い

| | 11月 | 12月 | 1月 | 2月 | 3月 | 4月 | 5月 | 6月 | 7月 | 8月 | 9月 | 10月 | 11月 | 12月 | 1月 | 2月 | 3月 |
|---|---|---|---|---|---|---|---|---|---|---|---|---|---|---|---|---|---|
| 夏　隊 | | | | | | | | | | | | | | | | | |
| 越冬隊 | | | | | | | | | | | | | | | | | |
| **南極の季節** | 春 | 夏 | | 秋 | | 冬 | | | 真冬 | | | 冬 | | 春 | | 夏 | |

赤が派遣期間で、黄色が南極での活動期間です。
新旧越冬隊の交代は2月に行われるため、越冬隊の南極滞在は約14カ月、派遣期間は16カ月にも及ぶのです。

私が参加した第52次南極観測隊の集合写真。シンボルマークは隊によって毎回変わります。

# ●南極で何を研究しているの？

## 南極は大気と海水を動かすエンジン（大気科学分野）

　お部屋の中でも暖かい空気は上へ、冷たい空気は下へ動きますね。地球規模でも同じはずで、暖かい赤道と寒い南極・北極の間では大きな大気の循環が起きているはず。そしてそれは気候変動に影響を与えます。循環の出発地点、到着点が南極なのです。

　大気は世界をぐるっと回って南極に戻ってきます。すると南極の上空は人間の活動の影響がはっきり現れる場所になったりします。たとえば人間が放出したフロンガスによってオゾンが失われたオゾンホールが形成されたのも南極でした。

　また南極の氷は、雪が降ったその日の空気を抱き込んだまま押しつぶされてできたもの。数十万年もの前の空気をとりだすことができるのです。この分析によって、地球の過去の環境、つまり気温や森の繁栄の様子、火山の様子など、解明されてきました。取り出された空気からこんなことがわかるって、それも不思議ですね。

## 大陸形成の歴史をのぞく窓（地学分野）

　厚い氷におおわれた南極大陸ですが、まれに氷の上に飛び出した岩山（ヌナータクといいます）があります。たとえば、昭和基地の近くにあるナピア岩体は25億年前、先カンブリア紀のもの。地球がどのようにできたかを知る貴重な手がかりです。

## 極限環境を生き抜く生き物たち（生物分野）

　南極海にクジラがいることは知っていますね。ペンギンも

有名です。でも、よく考えたら変じゃありませんか。住むのも食べ物を探すのも大変そうな南極に、そんな大きな生物がいるなんて。

これら以外にも南極にはたくさん生物がいることがわかってきました。とても寒くて乾燥している南極。生物の環境に適応する力を調べる絶好の場所です。

## オーロラが光り輝く空（宇宙空間物理学分野）

オーロラは太陽からのエネルギーによって100km以上の上空で空気が光り輝く現象。美しい現象です。でも、科学者たちは美しさだけを理由に、この現象を追いかけている訳ではありません。地球は太陽からどのような形でエネルギーを受け取り、どんな影響を受けているのだろう。それは500kmも上空の話ですが（国際宇宙ステーションは上空400kmです）、結果的には私たちが生活をしている大気にも影響していることがわかってきました。

キミはジグソーパズルに挑戦したことがあるかな。もう少しで完成という時に、何ピースか無くしたことに気がついたとしたら、それはガッカリですね。「1個ぐらい、いいか」とはちょっと言えない。全部そろって1枚の絵だからです。

科学者たちも同じ思いです。地球のこと、そこに住む生物のこと、「よくわかった」というためには、「知識の空白地帯」があっては困るのです。一番暑い地域などはいきやすくて研究が進んでいますが、一番寒い南極はつい最近までいくことすらできませんでした。

まだまだ、解明される日を待つ秘密が南極にはたくさんあるのです。

# ●南極観測隊ってどんな人たち？

　南極観測隊をまとめているのは「国立極地研究所」です。その指示のもと、隊員が編成されます。

　まずは観測チーム。気象学や地質学、さらに生物学などの研究者たちのチームです。もう1つ、設営チームも重要です。電気、建築、車両関係の技術者、医療、調理関係者など、研究と基地の生活を支えるメンバー、この2つのチームで観測隊は構成されています。

　以前は大学や研究所などに関係する人から隊員を決めていました。2004（平成16）年度からは、一部のメンバーについて、一般の人が応募できるようになりました。さらに夏隊の「同行者」という新たな枠が設けられ、一般の人でも観測隊の一員として南極に行けるチャンスが広がっています。「同行者」として夏隊に加わるのは、学校の先生、技術者、大学院生、外国人研究者、マスコミ関係者などで、毎回約20人が選ばれています。

　女性の活躍もめざましいです。1997（平成9）年から女性も越冬隊に参加するようになりました。昭和基地にはお風呂など女性用施設も用意されています。

## ●公募のある越冬隊員の例

| 専門分野 | 募集人数 |
|---|---|
| 調理 | 2名 |
| 医療 | 2名 |
| 通信士 | 1名 |
| 野外観測支援 | 1名 |
| 環境保全 | 1名 |

※募集要員＆人数は年次によって変わります。

## ●南極観測隊員になるために必要なこと

　観測隊に選ばれてから行われるトレーニングでのことです。こんな問題を出されました。

「昭和基地を離れ、調査旅行にいくことにします。ケガをした時のために酸素ボンベを用意しようと思うのですが、何本持っていけばいいですか？」

「え？　えーっと、えーっと……３本ぐらいですか？」

「それは１時間半使える量ですね。ブリザード（吹雪）にあうと、救援のヘリコプターの到着が翌日になったりしますが、大丈夫ですか？」

　どうしよう。答えに困っていると教えてくれました。

「正解は０本です。ケガをしないこと、それ以外に無事に帰る方法はないのだ、と考えてください。」

　観測隊の活動は現在、安全に快適になってきたと言われます。それでもやはり、厳しい自然の中で、文明から切り離された長期間の生活には緊張感が必要です。そんな隊員になるために必要なことはなんでしょうか。

　極地研究所がしめす、「選考基準」には次のように書かれています。

①南極地域観測隊員としての自覚と責任
②心身ともに健康であること
③隊長の指示及び諸規則に従うこと
④観測隊のために積極的に協調性を発揮すること
⑤高度な専門性と柔軟な対処能力

　キミはどれが特に大切だと思う？　ボクは④の「協調性」だと思っています。協調性って、みんなと仲良くすることだけど、相手のいうことばかり聞いて行動することじゃないです。

　たとえば、生物学者と地質学者では、ヘリコプターに乗って飛ぶいき先も違うし、持っていく荷物はたくさんあります。それでも、飛ばせる回数には限界があります。どうしようという時に相手の意見だけ聞いて、自分の研究ができなかったとしたら、それは観測隊全体としては失敗したことになるのです。成果があげられなかったのですから。では、どうしましょうか。

　正解は「相談をする」です。

「私は、これをあきらめます。そのかわりにあなたは、こんな協力をしてもらえますか」

　そんな相談をして、みんなが成果をあげられるようにすること、それが協調です。

　キミの学校生活でも、同じじゃないかな。友だちの言いたいことをしっかりと聞く。自分が言いたいことをわかりやすく丁寧に伝える。難しいですよね。観測隊でも厳しい言い方になってしまうこともあります。でも、「ごめんね」って謝ってベストの作戦を考えるのです。

　キミの今の学校生活。それは、観測隊員になる大事な訓練の日々です。

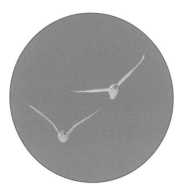

シロフルマカモメ

オオトウゾクカモメ

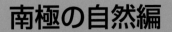

# 南極の自然編

# ① テストです
## ペンギンの足の裏の色は？

いきなりですが、抜き打ちテストです。という先生、いやだよね。でも、やります。

第1問。ペンギンの色は？

「白と黒」

正解。

では、つばさの裏側は？　ノドは？　ワキの下は？　股のあたりは？──この辺りになるとちょっと、不安になるかもしれませんね。実はボクもよくわかっていませんでした。見ているということと観察しているということは、少し違うのかもしれませんね。

南極の昭和基地の近くで（といっても、彼らが主に生活しているのは20kmも離れたところですが）見ることができるペンギンはアデリーペンギンという種類です。立ち上がった状態で60cmくらいの、歩きが達者なペンギンです。

アデリーペンギンは歩くのも得意ですが、もちろん泳ぐのは大の得意。そんな彼らは水遊びもよくします。その様子を見ていたら、ビックリしました。

「変な生物がい

アデリーペンギン（中型）。南極で繁殖するのはこの種類と、大型のコウテイペンギンの2種類です。

る！」

　右の写真。真っ黒なこの生き物は何っ？

　何って、ペンギンなんですよね。でも、最初は驚きました。ペンギンの白黒って水に浮かんだ時、水面より上の部分が黒くなるよう

これは何?!　アデリーペンギンのそばに真っ黒の生き物が……。

に塗り分けられているんですね。ということは、逆に水中から見上げたら、全部がまっ白になっているのでしょう。これはきっとアデリーペンギンの生活で何か意味があるはずです。だって、塗り分け方が徹底しているんですもん。

　一説には海面に浮かぶ時、海中から見上げる恐ろしいシャチに見つかりにくいようにするため、といいます。海面は白く光って見えますからね。そして上半分の黒色は、見下ろすと黒く見える海の底に、うまく溶け込むかもしれません。つまり保護色ですね。また、別の人は白黒模様を使って獲物の

魚を脅かすんだといいます。本当のところはどうなんでしょうね。でも、きっと何か意味があるはず。ぜひ、誰か解明してください。

　で、テスト第2問。足の裏は何色だ？

ペンギンを真横から見ると、黒い背中と白い腹のツートンになっているのがよくわかります。

まだ答えの写真を見ちゃダメ。ボクたちは一つ、法則を発見していたんだ。泳ぐ時に上側になる部分は黒く、下側になる部分は白く塗り分けられていたよね。この法則を道具として推理しよう。予想が立てられたら答えの写真を観察。

　黒い！

　科学者たちはこんなふうに研究をすすめたりします。よく観察して法則を考える。この法則を仮説と呼ぶ。そしてこの仮説が正しいか調べるために、さらに観察をする。ただ見るんじゃないよ、目的をもって観察するんだ。

　今回の旅で、すっかりボクはペンギンのファンになってしまいました。日本でも野生のペンギンが見られたら良いのに。そう思っていたら、とてもすてきな情報が！　日本にもいるというのです！　場所は北海道の天売島！

　大急ぎで行ってみました。そうしたら、ニセ情報でした。がっくり。ウミガラスという、全然違う仲間の鳥でした。でも、でも、ですよ。よく似ていませんか、白黒具合が。

　ウミガラスは飛ぶことができますが、泳ぐ方がずっと上手な鳥です。海に潜って魚を捕る暮らしをしています。なんだか生活の仕方がペンギンに似ていますね。

　同じような環境で同じような生き方をする動物は、姿形が似通ってくるようです。これを進化に関する難しい言葉で「収れん進化」といいます。

　例えばイルカは「ほ乳類」ですが、「魚類」のサメに形が似ていますね。どちらも水中をスイスイ泳ぐ生活をするため、形が似てきたと考えられます。ついでにいうと、人間が乗る潜水艦も形が似ているような気がします。

　生き物の形は、生きるための工夫のあらわれなのですね。他にも、全然違う種類の動物なのに似ている、というところはないかしら。近い種類なのに形が違っている部分はないかしら。そんなふうに目的をもって動物を観察すると、楽しみがアップするかもしれません。

北海道海鳥センターにあるウミガラスの模型。

ペンギンの足の裏は泳ぐときに上向きになるので、背中と同じ黒が正解でした。

## ② 地球が丸い証拠……<br>　　　　　なんだっけ？

　ボクの優雅な午後のひととき。今回は日向ぼっこのお話が
したいのです。暖かく昼寝ができるかどうか、重大な問題で
しょ。そうでもない？　いやいや、ここから地球の科学です。
地球儀がお家にあったらぜひ、持ってきてください。

　で、肝心の太陽ですが、ボクはひどく南極で悩まされまし
た。自分では方向感覚が優れている方だと思っていたのに、
地図が読めない。なぜだろう？　そう考えていたら、ハタと
思いあたりました。太陽の動きがおかしい！　その証拠に太
陽が沈む様子を連続して撮影しました。もう一度、言います。
太陽が西の空に沈む様子です。南極でも東から昇って西に沈
むのは同じです。北の空を通って西に沈むところが日本と逆
なのです。地球が丸いことにカギが隠れているようですが、
うーん、頭がごちゃごちゃする。

南極での日向ぼっこ。太陽光線はちゃんとあるのに、実はちっとも
暖かくない……。

　そうだ、こんな時は方位磁石に頼ろう。方位磁石はどっちに南極があるか教えてくれるんですもんね。あれ？　じゃあ、南極に立っていたら？

　ここで問題です。方位磁石はどこを指すんだろう？　きちんと予想してから、最後に見てくださいね。

　さてさて。南極の太陽は他にもボクに変わったものを見せてくれます。写真は昭和基地の太陽電池のパネル。立て方がちょっと変わっていると思いませんか、キミのご近所と比べて。ずいぶんと「起立」しているようです。なぜでしょう？

　南極と北極では、日の出のあと太陽はずっと水平線近くを移動していくことになります。赤道の地域でお昼に頭の真上から太陽が照りつけるのとは対照的ですね。だから、南極では太陽の光をしっかり受け止めるため、パネルが「起立」しているのです。もし、日本のように寝そべっていたのでは、太陽の光はその上を素通りしてしまうのですね。

　ちょっとまって。じゃあ、日向ぼっこはどうなるの？

　そう、暖かくないのです。南極で太陽の光をたくさん浴びたかったら、日向ぼっこは「気をつけ」でやるのです。ちっとも楽しくない！

　このことは地球儀を見ながら考えるとわかりやすいかもしれません。地面にしっかり光が当たる赤道と、光の大半が上空を素通りする極地域。なぜ、極地域が寒いのかわかって

ほぼ向きを垂直にしている昭和基地の太陽光パネル。

きますね。

　それもこれも地球が丸いから。では、もう１つ問題。お月さま。日本で見る時と違いはあるのでしょうか？

　三択、いきます。

　①変わらない　②さかさま　③見ることができない

　また、予想をしてください。日本列島に立つあなたと南極のペンギン。地球の丸さがヒントです。答えは、このページの一番下。

　話は変わりますが、ボクは理科の先生をしています。もちろん、地球が丸いなんてこと、よく知っている事実でした。でも、自分が南極大陸に立ち、太陽の動きにうろたえて、日向ぼっこで寒くなって、そうやって初めてこれらのことが「わかった」ように感じられました。地球は丸いんだな、今ボクは「地球の反対側」にいるんだなということを実感できました。自分で体験することの大切さをしみじみ感じたのです。

【正解】方位磁石は南極では上下を指します。南極はここですよって指すのです。

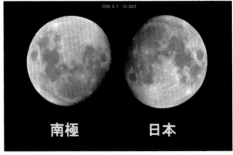

【正解】お月さまはさかさま。キミ自身が日本にいるときとさかさまになるからだね。

沈む太陽。日本で見る太陽と違い、右上の方から左下の方
へと移動していきます。

# ③ 南極には何を持っていく？

　南極にいくことが決まったころのこと。色んな人が心配して声をかけてくれました。

「鉄砲は持っていくの？」

「え？」

「やっぱりシロクマが怖いじゃない」

「それは正式名称、ホッキョクグマのことかな？」

「それそれ。南極でホッキョクグマに襲われたら……」

　ここで、彼は何か気がついたようです。しかし、へこたれない彼は、しばしの沈黙の後、

「ペンギンを撃って食べたりしないの？」

　と話題を変えてきました。

「食べないよ。食料は全部、持っていくの！」

　そう。持っていくのです。鉄砲は持ち込みませんが、「南極への持ち物」は重要な問題です。なので今回は持ち物のお話をしたいと思います。

　キミなら、1年以上、南極大陸で生活するとしたら何を持っていきますか。1分間、本を読むのをストップ。持ち物や生活の様子を想像してみてください。防寒具はどうする？　普段着は？　歯みがき粉は何本？　日焼け止めは……？　マンガにゲーム、おやつも欲しい。仕事道具の文房具やパソコン、カメラはどうしよう。壊れたらどうする？　予備は何台いる？

　準備をしながら思いました。気軽に買うことができる生

活ってすごいことなんですね。

　で、まず気になる食料。写真は南極での普段のメニュー。意外なほど普通でしょ。乾パンや缶詰ばかり、と思っていたら日本で食べるものとほぼ変わりません。

　30名ほどが越冬しますが、そのために冷凍食品も含め、38 t 以上の食料が持ち込まれます。長い越冬生活を元気に過ごすために優秀なコックさんが腕を振るってくれるので、とてもおいしい食事がです。でも、さすがに新鮮な野菜は不足するので、水耕栽培が行われています。

　同じ口に入れるものなのに持っていかないものがあります。それは、水です。周囲は雪だらけですからね。飲み放題、使い放題──と、思っていたら大間違いです。昭和基地では水は「超」がつくほどの貴重品なのです。

　なぜでしょう？　気温が−40℃にもなる南極では、まず雪を溶かさなければなりません。そして溶けた水を精製し、くみ上げて……。雪が蛇口から出てくる水になるまでのすべての段階でエネルギーが必要になってくるのです。そうなるとたくさん、燃料を持っていく必要がありますね。だから水

昭和基地での一般的な食事。

は大変、貴重なものとなるのです。

　昭和基地では燃料は大きな問題です。発電機を使って電気を起こし、様々な実験装置、観測機器を動かすのに使います。もちろん生活する上でも電気は欠かせません。トラックや雪上車、ヘリコプターにも燃料が必要です。

　砕氷艦「しらせ」に積み込む荷物は食料、燃料だけではありません。研究を進めるための資材。建築資材や車なども運ばなければならないのです。すべてを乗せた「しらせ」は年に1回だけしか昭和基地にいきません。だから、燃料には限りがあります。なので昭和基地では省エネのためのさまざまな工夫がされています。発電機の廃熱を氷を溶かすのに使ったり、風力発電や太陽光発電も取り入れられているのです。

昭和基地内で水耕栽培される野菜。

エネルギーを大切に使わなきゃ。

　そうやって苦労して得られた水なんだ、と思いながら入るお風呂は格別です。お湯が少し汚れていても、見ないフリ。食事の時は食べ残しがお皿に残らないように、きれいに食べます。洗い水を減らすためにね。洗濯機の水は精製してない水を使うので、少し泥が混じっていたりします。

だから洗う前よりも少し、茶色くなったような気もします。すすぎの回数も少なめに。「やだなぁ」、そう思うかもしれません。でも、ちょっとの我慢や工夫で基地での生活が維持されるのです。便利さとか快適さとか、日本で普通にしていたことについて少し考えさせられました。

　さて、ここまで持っていく話ばかりしました。でも、生活する上ではそれだけじゃダメですよね。ゴミはきちんと分別して持ち帰ります。南極大陸を汚したのでは、何をしにいっているのやらわからなくなります。

　きちんと日本に持って帰ってから、捨てなきゃ。

　あれ？　なんか、変じゃない？

　南極でゴミを捨てることと、日本で捨てることとは、何が違うのだろう？　もちろん、日本に帰れば、きちんと処理をする様々な専門の施設があります。でも、どこで捨てても、「地球という星の中で」ということには変わりがないように思えてきます。

　そう思うと、燃料のことも気になってきます。昭和基地に持っていける燃料に限りがあるから節約するのでした。でも、地球の地下に埋もれている燃料にも限りがあるのですよね。大きな違いはないのかもしれません。

　昭和基地という狭い空間に住むこと。地球という小さな星に住むこと。スケールは違うけれど何だか似ているなぁ。ボクは正味１カ月少しの昭和基地生活でしたが、そんなことを考えたのでした。先ほど、昭和基地への持ち物を想像してもらいました。地球という星のことを思い浮かべてからもう一度、想像してみると面白いかもしれませんね。

基地にあるのは、限られた量の燃料。

このプールに雪を投げ入れ、溶かして生活水に使います。

# 4 氷河と岩の大陸は
## まるで原始の地球

　南極の岩山を歩いていると、何の脈絡もなく丸みを帯びた岩がポコンと"置いて"あります。岩山なんだから、岩があって当たり前でしょ、そう思うかもしれませんが、明らかに周りの岩とは風情が違うのです。誰かに間違って連れて来られたかのようです。だから、「迷子石」と呼ばれています。

　で、問題は誰がこの迷子を連れてきたかです。ボク？　無理、無理。大きいんですもの。犯人は氷。氷は氷でも動く氷、つまり氷河です。氷河は岩を削りながら動き、削った岩をどんどん運んでいく。そして気候の変化などで氷河が消えた時、残されるのが迷子石という訳です。

　次の写真ははるか彼方の氷河をながめたもの。黒い帯のようなものが見えますね。ボクが立っている氷河の先端部から

迷子石。川もないのに、大きな岩が置かれてあるのです。

見て、ずっと奥から流れてくる氷河があちこちで石を巻き込んでくる。そしてその氷が集まり解けて消えるところに現れた石の帯です。

黒い帯のように見えるものが、氷河が運んできた岩たちです。

　ここですごいアイデア。世界には南極を含め、ときどき隕石が落ちてきます。それを探すのは骨が折れることなんですけど、氷河が石を集めてくるんでしょ。ってことは、その場所にいけば隕石集めが楽になるんじゃない？　正解！　このワザで、日本の研究者は世界で一番多く、隕石を集めることができました。

　さて、そんな氷河が流れた跡の谷底を歩いてみましょう。これは意外とラクチン。まるでローマ遺跡のように岩が平坦に敷き詰められています。これも氷河の仕業。何百トンという重さで上からギュッと押さえつけた結果です。

　氷が削り磨いた南極の岩山を歩いていて、私は大発見をしました。

「南極大陸には土と呼べるものは見当たらないなあ」

　ここまでの写真を見直してみてください。ね、岩と石ころ、そして砂だらけでしょ。まるで月面です。宇宙では土ではなく、岩と石ころ、それが当たり前なのです。そうだ！　地球もできたての頃は岩のかたまりだったはずです。だから、この風景は太古の地球に似ているのかもしれません。

　でも、南極大陸を離れ、昭和基地のあるオングル島にいくと泥のようなものはたくさんありました。この違いは何でしょう？

　そのヒントもオングル島の岩に隠されていました。蜂の巣岩といいます。穴だらけです。これは誰の仕業だろう。それは風。強い風が小石をまきあげ、吹き付けるうちに削られていったようです。

　こういう現象を「風化」といいます。風化の原因は風だけではありません。強烈な寒暖の差、太陽の光、水分などによ

氷河が流れた跡の谷底。

り、岩は削られ小さくなっていくのです。

　オングル島は大陸に比べ、一足早く氷河が消え去って空気にさらされています。だから、より風化が進み、泥ができているのかもしれません。岩だらけの大地が変化を繰り返し、緑を育む大地に変化していく。地球ができてから46億年の大地の歴史の一部を私は見ることができたのです。

　しかし、こうしてできた泥は土と呼ぶには不十分だ、という科学者もいます。植物がそこで生えて枯れ、動物が暮らして死体となる。そういったものが分解され、複雑に混ざり合ってできるものこそが土と呼ぶにふさわしいといいます。また、岩の中（表面ではない）に住む微生物が、風化を進める重要な要因になっているのではないか、というのが最近の研究結果のようです。となると、土は生物が作ったものということでしょうか。

　地球は生命が宿る奇跡の星だ、という言い方があります。でも、ボクは南極を歩いてみて、地球は生命が作った奇跡の星だ、という感想を持ちました。

蜂の巣岩。岩はこうして削られていきます。

朝の体操。足もとが泥だらけであるところがポイントです。

# ⑤　世界の見え方、感じ方

　突然ですが、ボクは小心者です。どれくらい小心者かと言えば、南極派遣の募集を見て、いきたいけど不安で悩んで、悩んで、悩んで…。応募を決断したら次の年の募集が始まっていたっていう位、小心者です。

　だって、南極の昭和基地にいくだけでもオーストラリアから１カ月の船旅です。不安になるじゃないですか。

　でもね、第１次越冬隊の隊長の西堀榮三郎さんはこう言ったんです。

「チャンスは逃すな、まず決断せよ。石橋を叩くのは、それからである」

　思い切って「いきます！」って声を出してみました。それから準備が大変だったけど、色んな人が助けてくれました。そうして貴重な体験ができました。だから、やりたいことをやろうって決断することは大切なんだよ。

　さて。１カ月の船旅。キミならどう過ごしますか？　ダンスパーティー？　そんなのありませんよ、豪華客船じゃないんだから。訓練や勉強会、打ち合わせなどで大忙しです。航路中の海の研究もあります。

　長い航海の途中の楽しみといえばお食事。金曜日はカレーの日と決まっています。航海が長くなると、

「今日は何曜日だっけ？」

「昨日カレーだったから土曜だ」

　なんて会話になります。ずーっと大海原を眺める日々です

から、曜日を忘れちゃうのです。

　そう、ぐるり360度の水平線。絶海のただ中にポツンと浮かぶ私たちの船。すっかり陸地は遠くなっているはずなのに、海鳥が船にやってくるのには驚きでした。

　小心者のボクは心配になってしまいました。陸に帰れなくなったらとか、怖くないのかなぁ。そんなことを考えていたら、一緒に海鳥を見ていた仲間が言いました。

「この広いインド洋を独り占めして、いい気分だろうなぁ」

　そういう考え方もあったのか。キミは、どっちの考え方をするタイプですか？

　さて、この時にやってきたのはノドジロクロミズナギドリ。聞けばここから2500km離れたケルゲレン諸島で子育てをしているはずだそうです。夫婦交代でこの海域まで飛んできてエサをとるのです。ちょっとお食事にって、北海道の知床半島から沖縄本島あたりまで行く感じ。片方の親は1週間以上、巣に残り相手の帰りを待ちながら卵を温めているはずです。

　えぇ！　1週間！　またも小心者のボクは不安になってしまいます。待つ方も心配じゃないかな。奥さんが帰ってこなかったらどうしよう……とか。

　でも、ノドジロクロミズナギドリは1日に800km移動できる鳥です。12時間歩き続けても60kmしか移動

「しらせ」は夏でも氷が解けない南極海をゆっくりと進む。

‖‖‖‖·‖‖·‖‖‖‖·‖‖‖‖·‖‖·‖‖·‖·‖·‖·‖·‖·‖·‖·‖·‖·‖·‖·‖·‖·‖·‖·‖·‖·‖

| ふりがな<br>お名前 | | | | 明治　大正<br>昭和　平成 | 年生　歳 |
|---|---|---|---|---|---|
| ふりがな<br>ご住所 | □□□-□□□□ | | | | 性別<br>男・女 |
| ご電話<br>番　号 | （書籍ご注文の際に必要です） | | ご職業 | | |
| E-mail | | | | | |
| ご購読雑誌（複数可） | | | ご購読新聞 | | 新聞 |

最近読んでおもしろかった本や今後、とりあげてほしいテーマをお教えください。

ご自分の研究成果や経験、お考え等を出版してみたいというお気持ちはありますか。

ある　　ない　　　内容・テーマ（　　　　　　　　　　　　　　　　　）

現在完成した作品をお持ちですか。

ある　　ない　　　ジャンル・原稿量（　　　　　　　　　　　　　　　）

| 書　名 | | | | | | | |
|---|---|---|---|---|---|---|---|
| お買上<br>書　店 | 都道<br>府県 | 市区<br>郡 | 書店名<br>ご購入日 | | 年 | 月 | 書店<br>日 |

本書をどこでお知りになりましたか?

1.書店店頭　2.知人にすすめられて　3.インターネット(サイト名

4.DMハガキ　5.広告、記事を見て(新聞、雑誌名

上の質問に関連して、ご購入の決め手となったのは?

1.タイトル　2.著者　3.内容　4.カバーデザイン　5.帯

その他ご自由にお書きください。

本書についてのご意見、ご感想をお聞かせください。
①内容について

②カバー、タイトル、帯について

弊社Webサイトからもご意見、ご感想をお寄せいただけます。

ご協力ありがとうございました。

できないボクたち人間とは違う感覚で旅をしているのかもしれません。帰り道はしんどいなぁとか考えないのかもしれませんね。

　よく大人は言いますね。

「相手の気持ちになって考えなさい」

　でも本当は、それは難しいことなのかもしれません。特に相手がボクたちと違う動物だと。時間感覚や距離の感覚はずいぶん違っていそうです。「動物の気持ち」を理解するにはどうすればよいのでしょうね。

　キリンには何が見えているのだろう。イルカは水から飛び出すとき、どんな気持ちなんだろう？　超音波で周囲を探るコウモリには、世界がどう感じられているのだろう？

　私たちにはわからないからこそ、想像する力が必要なのかなって思います。

ノドジロクロミズナギドリ

ナンキョクフルマカモメ

## ⑥ 緑豊かな南極
## 　　氷の下に広がる別世界

　お魚のフライっておいしいよね。今回はお魚フライと南極のお話。え？　ハンバーグの方が好き？　ビーフ100％？そう来るか。まあ、いいか。で、その牛だけどね、育てるためには牧草がたくさんいるよね。みんながおいしくお肉を食べるには、まずは広い牧草地で肥料もたくさん使って牧草を育てなきゃならないのです。

　そこで、この写真。南極に広がる大草原です。すごいでしょ。でも実はカラクリがあります。これは南極の海の氷に穴を開け、氷を下から撮影した写真を上下さかさまにしたものです。南極海に浮かぶ真っ白な氷。でも、その氷の下の面には青々としげる植物プランクトンの草原が広がっているのです。ビックリです。

氷に穴を開けて見てみると、まるで違う世界が広がっています。

果てしなく広がる南極の
大草原。実は海の中をさ
かさまに見た状態。

（正確にいうと、この藻類の仲間は黄褐色をしています。こ
の写真は光の加減で緑色なのかもしれません）

　さて、こんなに植物が育つためには肥料となるものが必要
なはず。南極の海にはそんなに肥料があるのでしょうか？

　南極海域の海水は－2℃位になると凍り始めます。キミは
オレンジジュースを凍らせたことがありますか。その時、で
きた氷を溶かしながら飲もうと思ったら、初めはすごく濃い
味がするのに、残った氷には味がなくて、がっかりしたかも
しれませんね。南極の海の氷にも同じことがおきています。

　海水は氷になるときに薄味の氷になります。その分、残り
の海水はものすごーく濃い塩水になっているのです。冷たく

濃い食塩水は重たいので、海底深く沈んでいきます。その代わりに、海底からぞくぞくとわき上がってくるのが海洋深層水。肥料がたくさん溶け込んだ水です。

　肥料がたくさんあれば、こっちのもの。なにせ夏の南極は白夜ですからね。24時間、フル稼働で光合成がすすむので、南極の海は藻類の楽園になるのです。

　わーい。楽園だー。おや？　喜び君は誰？　オキアミです。体長６㎝位のエビに似た赤い生き物。植物プランクトンを食べて大増殖します。場所によっては海が赤く見えるほどだそうです。南極の海はオキアミの楽園なのです。

　（低い声で読んでください）わーい、楽園だー。喜ぶ君は誰？　クジラですよ。ヒゲクジラの仲間にはこのオキアミを食べるために、はるばる赤道から夏の南極海にやってくる種類もいます。あの巨体がお腹いっぱいになるくらい、オキアミがいるのです。世界中のクジラを集めて体重を計っても、すべてのオキアミの重さにはかなわないといいます。

砕氷艦「しらせ」がひっくり返した氷の裏には、藻類がびっしり。

ペンギンの食べこぼし。拾ってみたら全部オキアミでした。

赤いオキアミをたくさん食べたペンギンのウンコも赤い。

　他にも喜ぶ生物はいます。アデリーペンギン。あんまりオキアミを沢山食べるから、ウンコまで赤くなります。魚たちもオキアミを食べてどんどん、増えていきます。

　銀ムツ（メロ）という魚がスーパーで売られているのを見たことがあるかもしれません。これ、南極海育ちの魚です。南極の海はボクたち日本人のお腹も満たしてくれているのです。なんて豊かな海なんでしょう。

　では、復習。なんで、こんなに南極の海は豊かなの？　そう、さかのぼって考えると、南極の寒さ、冷たさが原動力なのでした。

　さてさて。沈んでいった冷たい海水はどこへいったのでしょう。南極の冷気に冷やされてぞくぞくと沈んでいきますからね。驚くなかれ、この海水は海底をずーっとはうように

進み、日本近海までやってきているらしいのです。その旅、数千年単位！

　ん？　冷たい海水が日本の近くに来ている？　これは日本にとっては床暖房ならぬ、床冷房？　暑い夏にへこたれそうなボクたちには聞き逃せない情報です。

　実際、この南極を出発点として世界をめぐる海水の流れは、地球の気候に大きく影響しています。だから、海底の水の流れを調べることは地球の将来を考える上で欠かせない作業なのです。でも、海は広いですからね。まだまだ詳しいことはわかっていません。研究に参加してくれる人、募集中です。今夜のおかずは、南極生まれかもしれない。意外と南極とボクたちの生活は密接につながっているようです。

海流を調べる海洋観測ロボットを設置するのも「しらせ」の任務の一つです。

# 7 地上最強のコンビ

　南極大陸の生物の勉強をしよう。そう思って手に取った本は『南極の科学7　生物』（国立極地研究所／古今書院）。280ページもあってブあつい。その半分は海の生物。けっこうあるな。うん、あとにしよう。アザラシなど、ほ乳類の部分はたったの12ページ、ペンギンなど鳥類で22ページ。南極にはやはり、ほ乳類や鳥類は少ないのです。おかげで楽に勉強が進みました。

　大変だった65ページ分の生き物、どんな仲間の生き物だと思いますか？　それは「植物」。

　おや、南極の植物？　そんなにいるのかなって不思議に思いませんか。だって氷と岩だらけの大陸ですものね。でも、いるのです。寒くて岩だらけの南極で生きのびる強者たちが。

　例えばこの写真。生き物たちが一所懸命、生活している現場です。え、見えない？　よ〜く見て。じゃあ、石英と呼ばれる石をひっくり返してみよう。と、びっしり緑色のものが

生えていました。藻類といいます。南極では紫外線が強すぎるため、半透明な石英の裏がわで肩を寄せ合って生活しているようです。ボクに石をひっくり返されてまぶしかったかも

南極は一見、氷と岩だけの世界のように見えます。

ただの石だと思ってひっくり
返すと、そこには緑色の藻類
の仲間が、たくましく生きて
いました。

しれませんね。大急ぎで戻してあげました。それにしても、
あちこちに散らばる石英、その1つ1つの下で藻類たちが集
団生活をしていると思うとちょっと面白いですね。

　そして地上最強（と、ボクは思っています）のコンビ、地
衣類も紹介しましょう。ただしこれは、本当は植物ではあり
ません。菌類（カビやキノコの仲間）と藻類の共同体です。
菌類がお家を用意し、中に住む藻類が光合成で作った栄養を
菌類に分け、助け合いの関係です。

　菌類の家は住み心地が良さそうです。乾燥地域でもしっか
り水を集められます。南極には氷はたくさんありますが、液
体の水は乏しいので貴重なのです。また、菌類は色が濃いも
のが多く有害な紫外線をブロックしてくれたりもします。

　そして昭和基地周辺で－40℃にもなるという冬。すべて
のものが凍ってしまいそうですね。そんなときの地衣類の
とっておきの作戦。ひからびてしまう。台所の昆布とか海苔
みたいにカラカラになったら、もう凍る心配はないですから

ね。そして春。雪解け水が少しでも流れてきたら水を吸って元通り生活をはじめます。最速2秒なんてデータもありますから、インスタントラーメンもビックリです。南極でだって生き延びる地衣類の仲間は日本にも生えています。調べてみて。

　生物なんていなさそうな南極ですが、じっくり観察するとしっかりと生きています。

　さて、もう一度、最初の写真を見てみてください。初めは「生き物？　いないじゃん。」って思ったかもしれない。でも、今は生き物の気配がわかるでしょ。なんだろう、この変化は。同じ写真を見ているのにね。カギは、キミの頭の中だよ。「石英の裏には藻類がいる」という知識が、世界の見え方を変えたんだ。

　ボクが勉強をして「面白い！」って思う瞬間の1つは、知識によって世界の見え方が変わる瞬間なんだけど、キミはどう思う？

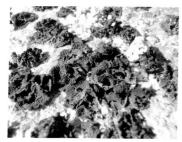

凍って死なないために、カラカラにひからびた地衣類の仲間。すごい知恵の持ち主です。

ケバケバしい色の地衣類の仲間。この色で南極の有害な紫外線から身を護っています。

# ⑧ 生と死と……

　いつも元気よく暮らしているボクですが、急に「死んじゃったらどうしよう」って気持ちにのみ込まれそうになることがあります。「年をとって、最後は死んじゃうんだ」って思ったり、「じゃあどうしてボクは生きているんだろう。なんのために？」なんて思ったり。活き活きとしていた周りの風景から自分が切り離されたような、さみしい景色の中に1人で立たされているような錯覚におちてしまいます。

　南極大陸。音がない世界でした。車の音はもちろん、動物の声も聞こえません。風に揺れる木々の音もありません。「おーい」って声を出しても、広大な空に吸い込まれてしまう。怖くなって振り返ってもそこはすべてが静止した世界。その時に感じたんです。

「あ、あの景色だ。」

　今回は、南極でボクが生と死について考えたお話。

集団営巣地の片隅に放置されたミイラになったペンギンの死骸。

52

　南極は生命があふれる地域であるというお話はしましたね。でも、「生」がある以上は「死」がそこかしこに落ちている場所ということでもあります。写真はペンギンの集団営巣地の片隅の様子です。ドキッとさせられる光景ですが、ヒナの7〜8割が成鳥になれずに死んでしまうという自然の厳しさを感じさせられます。もっとも、このヒナたちはこの年に死んだものだけではないはずです。南極は非常に乾燥していますから、死後すぐにミイラのようになって、何十年分かの死骸が折り重なっているのです。

　海から離れ谷間を歩いていても死骸に出くわすことが少なくありません。こんな荒れ野で何年、風雪にさらされていたんだろう。ひからびてすっかり軽くなった羽を取り上げて考えてしまいました。

　その時、谷の下流へ目をやりビックリしました。そこにはコケがわき上がるように生えているのです。南極の陸地は養分が乏しいです。だから、鳥やペンギンなどの死骸から養分を溶かし込んで流れ出る雪解け水を、コケたちは争うように吸収し生長しているのですね。命のバトンが受け継がれる場面にボクは立ち会っていたのです。

　さて、そのコケですが、青々と茂っているっていう感じじゃないですね。黒くて枯れているようです。これは藻類という別の生物にコケの体が乗っ取ら

動物の死骸の養分を含んだ雪解け水の流れ込む谷の下流に群生するコケ類。

れて枯れてしまっているのです。藻類にとっては住み心地が
いいし、養分を横取りできますからね。コケが育つ端からど
んどん藻類にやられます。コケVS藻類は藻類の勝ち？　で
もさらにうわ手がいるのです。黒く死んだコケに白い物が
くっついていますね。これ、前にもお話しした地衣類という
たくましい生物です。藻類からもコケからもまとめて養分を
吸収しちゃえというわけ。南極の生物はわずかな養分を必死
で取り合っているのです。

　それにしてもコケ。なさけないなぁ。藻類に乗っ取られる
のを防ぐような体のしくみはないのでしょうか？　でも同行
してもらった生物学者さんの答えに、ボクはガツンと衝撃を
受けました。

「このコケはこの地で数千年、生き続けているんです。だか
ら成功者です。環境への適応の成功者です」

　ボクたち人間は、病原菌に抵抗力をもち、また自然治癒力
をもつことにより長く生きることができます。生物にはそれ
が当然のことだって思っていました。でも、コケはそんな生
き方を選んでいないのです。ワッと生長し子孫を残してしま

えば、その部分は死ん
でもかまわない。自分
の修復に使うエネル
ギーがあるなら、新し
い芽を伸ばすことに使
う。

　コケにとって生きる
こととは、次の代へと
命をつなぐこと。

コケを乗っ取った藻類を、さらに地衣類が乗っ取る。
わずかな養分をうばいあうようにして成長します。

　命って何だろう？　人生って何だろう？　ボクはその夜、テントの中で考えて寝ることができませんでした。結局、今でもその答えはよくわからないんですけどね。

　でも、１つはっきりしたことがあります。この本を読んでくれている、特に年若い人。辛いことや嫌なことがあって、自分なんかいなくていいのかもって悩んでいる人がいたら注目して欲しいな。

　キミが今、そこにいる。ただその事実だけで、キミには成功者としての意味、価値があるんです。生命が地球に誕生して40億年、生命はありとあらゆる試練を、これまたありとあらゆる工夫で乗り越えてきた。その40億年分の集大成として、今キミはそこにいるのです。

　南極のコケがそのことをボクに教えてくれました。この広大な大地の片隅で生きるコケの一所懸命な姿が、生きるすべてのものへの応援に見えました。ずいぶん小声の応援だけど。ボクは１人で立っているけど、１人じゃないんだな。

生き物にはどんな環境にでも適応する力強さがありました。そしてこんな不毛に見える景色の中でも、多くの生き物が生きていると思うだけで、ボクは勇気が湧いてきます。

# ⑨ 山をも動かす地球の力

　南極の岩山を歩いていると、その稜線の滑らかさが印象的です。なんでこんなにも滑らかな曲線なんだろう。それは大昔に氷河が岩山を削りながら流れたから。山が形を変えるというのは不思議な感じです。でも科学者たちは言います。山は形を変えるだけでなく動くのだ、と。

　ウソだーって思ってしまいます。だって「動かざること、山のごとし」って言うくらいですもんね。でも、聞いたことはありませんか。インド半島は、昔は別の場所にあったけれど移動してきて、最後にユーラシア大陸に向かってぶつかったのだ、と。その反動で盛り上がったのがヒマラヤ山脈だと。

　ウッソだー。そう思う人。インドの特産物を調べてみてください。カレーじゃありませんよ。ダイヤモンドやガーネッ

氷河が削った岩山は、独特な滑らかな形をしています。

トなどの宝石がそうです。そして、昭和基地付近でも宝石が
ザクザク取れるのです。下にある写真の石はザクロ石といい
ます。赤いのはガーネット。インド半島と南極の昭和基地の
付近は、どちらも宝石がとれる場所なのです。なぜでしょう
か。科学者たちはこう言います。このことが2つの地域が大
昔は1つだった証拠です。その土地を形造る岩石を調べるこ
とによって、過去の風景を探ることができるのです。

　それでもボクは言いました。

「ウッソだー！　岩が動くわけがない。信じられない」

　でも、地学の研究者が遠くの岩を指しながら教えてくれま
した。

「地球の大きな力から見たら、岩も流れ動く物質なのです。
水ほどじゃないけど、例えるなら千歳飴。ほら、あの岩には
線がたくさん波打ってある。あれは地球が岩を、飴を練るよ
うに動かした証拠です」

　このガーネットが、南極大陸とインド半島のきずなの証拠。

ボクは地球が押し曲げて造った大地の模様の上に立ってみました。そして地球の大きな力のことを考えていたんです。その時、大きな腕が地面から突き出し、ボクを体ごとその巨大な力でわしづかみして……そんな錯覚に頭がクラクラしてしまいました。

　ドキドキが収まってから、周りを見渡し思いました。自分は豆粒のようだなあ。ボクの人生は地球の歴史の中では、瞬きのようなものなんだなあ……。冷たい風がボクの頬をなでていきました。少し寂しい気持ちで岩山の頂上の方を見ると、先に進む仲間の姿が見えました。

　小さな小さなその姿。でも、それがとても心強く見えたのです。南極の登山は草木に邪魔されることがありませんから、目指す頂上さえ決めたら、各自バラバラに歩いてもはぐれる心配はありません。自由に歩く仲間の姿を見ていると、また元気がでてきました。

　ボクがちっぽけな存在であることは間違いない。それにくらべ地球はでっかい。でも、だからこそ面白そうなことも満載だ。自分の行ってみたいところ、目標を自由に探し出していいんだ。そしてそこにたどり着く道のりも、自由に道を選んで進んでいけばいいんだ。そう思ってまた、目の前の大きな岩山の頂上に向かって歩きはじめたのでした。

頂上から見る景色は格別です。でもたどり着くまでの道のりも、1歩1歩が楽し
かったりします。

アザラシ
（画像提供：国立極地研究所）

# 南極へ向かう人たち編

# 1 隊長・山内 恭さん
## やまのうち たかし
### （気象学者）

　柿くへば鐘が鳴るなり法隆寺（正岡子規）

「うん、じゃあ鐘がゴンゴン鳴ったら困るから、真夜中に柿を食べるのはやめようね」

　とボクが主張したら、みんなは笑うだろうか。でも、原因と結果の関係を正しく見極め、対策を考えることは実は難しい。

　今回、お話を聞く南極観測隊の山内隊長は、物静かな紳士。気象学という目で、冷静に地球を見つめている。

　温暖化って本当に起きているんですか？

「**どんな時間スケールで話をするかをまず考えなくてはいけません。20 〜 21 世紀について言えば、人間の活動による大気中の二酸化炭素の増加で温暖化が起きていると言えるでしょう。でも100万年単位で言えば、地球はこれから寒冷化に向かうようです。この間にも気温は上がり下がりしていますが、気温が上がってその後に二酸化炭素が増加しているようにも見えるのです**」

　あれ、逆？　だとすると、温暖化の原因は二酸化炭素だけじゃないってことですか？

「**科学者がまずすべきことは、地球気候の仕組みを解明することなのです。これはとても複雑な問題です**」

　そんな複雑な問題を前に、人類は将来どうなってしまうのだろう。

「私はね、生物はとても強いものだと思っているのです。人類だって氷河期を生き延びてきているのですから。それにね、人間は地球の"お客さん"じゃないんです」

お客さん？

「人間を含め生物は、地球環境の影響を受けて変化し、逆に生物も環境に影響をあたえる。生物は地球の一部分なのです。例えば、空気には酸素が含まれますが、これを作ったのは植物です。人間だってこれからも、地球に影響をあたえていくんです」

そうか、ボクたちが地球の一部だからこそ、地球の仕組みをしっかり研究してから対策を考える冷静さが必要なんだ。でも、なぜ南極で研究をするのだろう？

「１つには、人間の影響をほとんど受けていないそのままの自然が観察できるということがあります。もう１つ、南極は地球の気候を決める、地球の要であるということです。とても暑い赤道と、たくさん氷があってとても寒い南極——この温度差が空気の循環に大きく関わっているからです」

赤道地域はすぐにいけるから研究が進んでいる。でも、南極にはまだまだ多くの謎があって、これからの大発見を待っているのかもしれない。

山内隊長は学生の時からずっと、南極を研究していたのかしら？

「いや、最初は物理学を勉強していたんですけど、難しくてね（笑）。実物を感じられる気象学に移りました。その時の先生が極地研究所と関わりのある先生だったので、南極にいって来なさい、となったのです」

そこから、どっぷり南極の研究に？

「越冬中に電報がきまして。そこには『極地研究所に就職が決まった』と。いつの間にそんなことが決まったの？　って驚いていたら、妻に許可をもらって話を進めたって……」

　不思議な縁が人生を動かすものだなぁと考えていたら、隊長は、

「好きなことを追求することです。どこかにチャンスはあるはずですから。生物は強いんですよ」

　と笑う。静かな語り口だけれど、なんだか元気が出てきた。最後に南極の研究の魅力は？　と聞いたら、

「極域科学という学問があります。普通は気象学、地学、生物学などバラバラに勉強するのですが、極域科学はすべてをつなげて南極や北極をとらえる、幅が広い学問なんですよ」

　とのこと。確かに砕氷艦「しらせ」は様々な研究者とその情熱を乗せ、昭和基地に向かっています。みんなの力を合わせて地球に取り組む楽しさが「しらせ」にはあるのかもしれない。

2 **艦長・中藤 琢雄さん**
（海上自衛隊）

**気象長・冨田 浩さん**
（海上自衛隊）

　例えば飛行機に乗っていて「空を飛んでいるのが大好き」と言うパイロットだと、少し親しみを覚えるかもしれないですね。でも「このまま死ねたら本望だなぁ」って言われたら、絶叫します。「しっかりしてー！」

　さて、自衛隊の人は危険な作業に携わるけれども、決して「死ぬ気で」は仕事をしていないはず。それでは困っちゃうもの。「しらせ」の乗員179名全員の命を預かる中藤琢雄艦長に安全運行への思いをインタビューしました。

　ボクが質問する前に、

「『しらせ』内を見学して、どうですか？」

　と気さくに問いかけてくださる艦長に、「大きくて複雑な印象です」と答えると、

「でしょう。私も初めは3日間、迷って出てこられませんでしたよ、あはは……」

　え？　いきなりの冗談にペースが狂うけれど、気持ちを立て直して南極歴を尋ねました。

「6回目です。6回目はもういいやって思ったんですけどねぇ。南極にいくってことは、お正月を日本で過ごせないということでしょ」

65

6回目とは大ベテラン。

「砕氷艦『しらせ』の運行には、特別な経験が必要なのです。障害物は避けるのが普通。でも『しらせ』は海氷にどうぶつけるかが大事になるのです。避けることもありますが、薄い氷を見抜いて割って進む場合や、逆に硬い氷に当ててそれで他の氷を押しのけて進む場合もあります」

　同席してくださった冨田浩気象長の説明によると、昔は氷状偵察ヘリを何度も出して氷の様子を読み取り針路を決めていましたが、今は衛星画像もあるので、偵察ヘリの頻度はだいぶ減ったそうです。でも、昔も今も最後は見張りの人の報告が鍵となる。人間の技量が問われるのでした。

「経験者を育てることも大変なんです。南極観測船は日本に１隻しかないので。教科書もないですし」

　実際、南極の氷に取り囲まれるようになると艦橋（船の操縦をするところ）は緊張感に包まれます。双眼鏡をのぞきながら次々と指示を出す士官。復唱され、切られる舵。指示、復唱、指示、復唱……。きびきびした声が絶え間なく響くのです。大変な任務ですよね。

「５カ月の南極航海では後半に心が疲れてしまう者もいて、そのための気配りは必要ですね。無事に帰るためにはリラックスできないと」

「しらせ」の中では、乗組員の明るい様子が印象的です。

「左20度、シャチ、元気に泳いでいる！」などと艦内放送が流れたことも。

「絶対、普段の勤務ではやりませんよ。しかし私自身も緊張感だけでは長続きしないんです。だから、乗員もがんじがらめにはしたくないと思っています」

　でも、それだけでは隊員の心の健康を守れないのでは？

**「やはり、経験です。過去に南極航海を経験すると、隊員の様子を観察して声をかけてあげるタイミングや、気持ちを聞いてあげる必要性といったことが見えてきます。予防を講じることが無事な航海につながるのです」**

　今日の会話の中で何回も「無事」という単語が出てきました。裏を返せば、やはり危険を伴う任務なのです。

　任務は危険で大変なのが前提。それを乗り越えてどのように任務を全うするか。「艦長のモットーは何ですか？」と尋ねると、

**「任務を完遂し、全員無事に笑顔で帰りましょう！」**

　とのこと。重い責任に負けずに笑顔であること。艦長の冗談好きはその模範なのでした。

## 3　越冬副隊長・堤　雅基さん

（国立極地研究所）

　　ハリセンボンとは体が針だらけの魚である。大事なことは、実は千本も針はないということ。日本語で「千」は「ビックリするくらい多い」ことを表す言葉なのだ。しかし、はるばる南極に本当に千本を超すアンテナを立てようという人がいる。ビックリである。何でそこまでするのだろう。

**「これが完成すれば、500㎞上空まで大気の様子を調べられるんです」**

　　ん？　国際宇宙ステーションだって高度は400㎞である。疑問は深まるばかりだ。

**「我々はPANSY（パンジー）レーダーと呼んでいます。高さ３mのアンテナを1045本立てます。これで大気の動きを様々な高さで測定できるようになるのです」**

　　それで天気予報の精度が上がるんだ。

**「いえ、直接には明日の天気などには無関係です。もう少し大きいレベル、たとえば気候モデルの精度を上げるのに使います」**

　　気候のモデルと言えば、日本は世界トップクラスのコンピュータでシミュレーションをしている。わざわざ観測なんて必要ないだろうに。

**「シミュレーションするには、まず『今はこんな状態です』というデータが必要なのですが、南極地域はよくわかっていないので、『たぶんこうだろう』というデータで代用してい**

ます。これを正しいものにする必要があります」

　コンピュータだけでもう、地球のナゾは解けるのかと思っていた。

「まだダメですね。例えばオゾンホールについて、コンピュータと現実のデータは大きくずれている部分があります。オゾンホールだけでなく、南極は環境の変化が特に敏感に現れる所ですから、この地域の大気の動きのデータは欠かせないのです」

　でも、なにも500㎞上空まで調べなくてもって思うのだけど。

「たとえば極中間圏雲というものがあります。ふつうは南極の85㎞くらいの高い空に見られるものなんですけどね。最近パリでも観測されました」

　パリの上空が南極並みに寒くなっているってこと？

「そう。二酸化炭素は身の回りでは温暖化を引き起こすと考えられていますよね。でも、もっともっと高い上空では、寒冷化を引き起こしているようなんです。人間の活動ははるか上空まで影響を及ぼしているのです。そして逆に、500㎞の大気の動きが巡り巡って私達の身の回りの大気にも影響するのです」

　しかし、1000本はやり過ぎでしょう。

「これは節電のためです。数を増やすと使用電力を減らせるのです」

　ん？　逆じゃなくて？

「おもしろいでしょ。とても弱い電力で動くアンテナを1000本組み合わせると、非常に大きな威力を発揮できるのです。だから節電」

すごい発明！

「節電のために、他の関係する装置も特別仕様にしました。私は工学部の人間ですが、理学部など他の専門家と共同作業をするのは楽しいです。また、PANSYと同様のものはインドネシアなどでも作られています。世界中の人と手をつないで仕事をすることも、この研究の楽しさですね。地球を相手のスケールの大きい仕事をしたい人にはお勧めですよ」

　そうなのだ。PANSYには多くの人の工夫が詰まっている。南極という極寒＆強風の地で、日本からの運搬が楽で、節電しながら、短い夏の間に作り終えられるレーダー。こんな高いハードルを乗り越えるのに10年の準備を要したのだ。何度も日本でサンプルを作ってみた。そして今年、いよいよ南極にアンテナを立て始めたのだ。

　ところが、ここに来て思わぬ障害が立ちふさがった。南極の岩盤である。予想していた以上に堅く1045本の穴を掘るドリルがなかなか進まない。1m掘るべき穴を2時間かけて5㎝……という日もあった。でも、堤さんは決して笑顔を絶やさない。泥まみれの格好で今日も元気に報告する。

**「500本、掘り抜きました！」**

　きっと明日も、この数字がちょっとずつ伸びていくのだろう。千山万水、たくさんの試練を乗り越えてPANSYレーダーがその活動を開始する日も近い。


※PANSYレーダーは2015年に1045本全てのアンテナをフル稼働しての観測を開始しました。地球全体の空気の流れを解明し、地球温暖化の将来予測のために必要な情報を集め続けています。

# ④ 医務長・
## 森田 健太郎さん
### （海上自衛隊／医師）

# 衛生員・北川 浩一さん
### （海上自衛隊／看護師）

　自衛隊では医療に関わることを「衛生」といいます。危険な地域での任務もあり得るのだから、その衛生を担当する人は、さぞかしゴツい人だろうと想像していました。「麻酔なんて打ってられるか！」っていう感じの。

　ところが訪れた医務室にいたのは、何とも穏やかな笑顔の２人。この人たちは患者で、あとからゴツいのが来るのだろうと思って、イスに黙って座っていたら、声をかけられた。

**「こんにちは、酒井さんですね。」**

　わぁ、本物だ！　小さな病院以上に整備された「しらせ」の医務室に座って森田医務長（医師）が話を始めました。

**「基本的に自衛隊の船には、私のような医師免許をもつ者は乗船しないんですよ」**

　あれ？　この立派な機材を前に意外な展開。では、誰が治療をするの？

**「北川さんのような人が行います」**

　えーっと、北川さんは医師じゃないですよね？

**「そう、衛生員。つまり看護師ですね。でも、ここでは注射や縫合なども行います。もちろん、それは医師と相談をしてからです。そのために船にはテレビ電話が付いています」**

うん、それは良くできている……って、そうじゃない。めちゃくちゃ大変な話ではないか。
「海上自衛隊の船すべてに、テレビ電話がついているわけではありません。ついていない船では、電話やメールなどで自衛隊病院などの医師と連絡を実施しています」
　と北川さん。
　電話で？　ぼくはちょっとうろたえた。だって背中のかゆいところを伝えるのだって一苦労するのだ。怪我の様子を冷静に言葉で伝える。これは困難な仕事だ。
「映像がない分、医師にちゃんと伝わるよう、病状や状況の整理された説明などがとても重要になります」
　人とのつながりを大切にしようってよく聞くね。それは気持ちの問題だけじゃない。言葉を操る技術の問題だ。こういうのも大切な勉強なんだな。
「海上自衛隊の衛生員はやることが多いんです。普通、船に衛生員は２人しかいませんからね。寄港地では病院に研修にも行きます。責任のある仕事ですが、それがやりがいでもあります」
　でも、船での治療は大変だろうな。
「揺れますからね。注射なんて１、２、ハイッ！　って波を予測して……」
　ボクはこの航海で絶対、怪我や病気をすまいと誓った。森田さんは続ける。
「でも、本当の『しらせ』と他の艦との違いって何かわかりますか？」
　医者が乗っていて安心？
「逆です。普通の艦なら、航行中に急患が発生して、もし艦

内での応急処置を超えた治療が必要となって陸地の病院へ搬送する場合、ヘリを要請するなどして、当日か遅くとも数日以内に搬送できます。しかし南極の氷海を航行している『しらせ』は陸地から遠すぎるので、ヘリは到達できません。『しらせ』が自力で氷海を抜けて陸地方面へ戻る必要があり、早くて２週間かかります。だから普通は助かるものでも命に関わるおそれがある。そういう職場なのです。なので予防に勝る治療なしですね」

「しらせ」の衛生を担う彼らは、普通以上の神経を使うようです。ほかにも、

「毎日薬を飲む人については、その薬を全部医務室で預かることにしています。たとえば高血圧など。取りに来なければ、飲みなさいって指導しつつ、毎回、顔色を観察できますので」

　めんどくさい！　って言ったら怒られるのかな？

「自分の問題、と言えばそうですよね。でも、目的遂行のためです。隊員が１人でも病気になると支障をきたしますから」

　ところで森田さんは、南極航海以外の時は何をしているのだろう。

「自衛隊病院で勤務しています。そして必要に応じて船に乗ります。船に乗ってハワイやイラク、インド洋にいったこともあります」

　世界各地に行けるのは海上自衛隊ならでは。船が好きな人にはいいかも。

「確かに普通できない経験です。でも、それよりも自衛官になって良かったと思うのは、医療関係以外の人との仕事が多いことです。専門用語を患者さんにもわかりやすく話す心配りができるようになりました。それに医務長は外科、内科、

眼科も皮膚科も、何もかも総合的に対応できることが求められます。救急医療を行う者として良い経験です」

　そうだ、森田さんは救急救命を専門とされているのでした。なぜ、救急を？

「ものすごい現場に出くわしてもあわてない医者になりたかったのです。家族とか大事な人が倒れた時に助けられる人間になりたくて医者を目指したので」

　北川さんも口をそろえて、

「私もおばあちゃんが倒れた時に、何もできなかったことが医療を志すきっかけでした」

　南極という究極の医療過疎地に派遣されるんですと笑う彼らは、自分たちの手で人々を助けようという決意と技量をもって「しらせ」に乗り込んでいるのでした。

| ⑤ | ヘリコプターパイロット・末廣 哲也さん<br>（中日本航空）<br><br>ヘリコプター整備士・浅野 圭吾さん<br>（中日本航空） |  |
| --- | --- | --- |

　どうやったらあこがれの地、南極に行くことができるかを紹介するこのインタビュー、ピンチである。

　今日の主人公のお二方、胸を張ってのたまった。

**「南極には特に興味がありませんでした」**

　いきなり企画の全否定である。が、負けてはいられない。インタビュー続行である。パイロットの末廣さん。

**「私の人生は、私の意志とは関係なく進んで来ているんです。座右の銘は『人生、これ、運！』──」**

　成り行き任せかい。教育上よろしくないなと思いつつ、インタビューはまだ続ける。

　どの辺が「運」なのか。中学高校と汗を流した陸上部は、たまたま入部希望を提出する行列が短かったから。今の仕事に進んだきっかけは、たまたま本屋で手に取った一番薄い本が「パイロットになろう」だったから。航空会社では、仮採用の期間中たまたま骨折をしてしまったら、上司が「保険の手続きが面倒だから正採用にしちゃえ」ということで就職成功。アメリカでのパイロット試験の受験中では、どうしてもわからない問題に遭遇。さすがにもうダメか。ところがその

時、たまたま「トイレにいきたくなった」試験官が退室。このあと、末廣さんが何をしたか、ここには書けない。そして南極。隊員の第1回会議の3日前に突然上司から電話で「南極にいってね」。たしかに不思議な巡り合わせで、人生ここまでやってきた感じだ。

　一方、整備士の浅野さんの場合。きっかけは整備士の道を選んだのは空港職員のTVを見たことで、専門学校では猛烈に勉強。その努力を認めて先生が強く推薦してくださり今の会社に見事に就職。

**「それから3年間、ひたすら工場の中でヘリの分解と組み立ての毎日でした。でも、今思うとこの経験はものすごく役に立っています。特に警察のヘリも扱うという、他の人はやらせてもらえない仕事もやりましたから」**

　でも、「いったことがないところにいってみたい」という夢のため配属を変えてもらい、今はヘリと一緒に日本中を飛び回る仕事をしている。だから、南極行きの話があった時も、ごく自然に手を挙げたらしい。

**「やりたいことが決まれば、その道に進んでいけるものです」**

　ふーん、何となく末廣さんの「人生、これ、運！」に似ているのかも。でも、2人が「運」に恵まれたのは、それを支えてくれる「縁」にも恵まれているからかもしれない。周りの人から応援されるような人には、「運」が届けられるのかもしれない。

**「あ、でも、チャンスが来た時に動ける力を養っておくことは必要だよ。日頃の勉強！」**

　とは末廣さんの言葉。

「最近の新入社員はガッツと挨拶が足らん」

とは浅野さんの言葉。

「そうそう、墜落の瞬間を生き抜くかどうかはガッツと生命力なんだよね。ヘリが落ちていく最中に、パイロットがきゃーって顔をおおっていたらイヤでしょ。お前がこの状況でできる限りのことをしろよって話で」

「人生、これ、運！」精神は、棚からぼた餅が落ちてくるのをのんびり待つのではなくて、突然やってくる出来事に真正面から全力で向き合う精神なのだ。

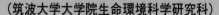

## 6 地質学者・角替 敏昭さん

（筑波大学大学院生命環境科学研究科）

　ボクは中学生の頃から理科好きでした。詳しく言うと反応の派手な理科が好きでした。爆発とかね。だから化学はやる気が起きるのですが、地学あたりはどうも……。だって、変化が地味なんだもん。どれを取っても石は石、同じようなもんじゃん。

　でも、角替先生はその瞳をキラキラさせながら、石について語る人でした。

**「なんと五大陸、どこを掘っても同じ石が出てくるんですよ！」**

　いや、だから地学が苦手なんですけど。

　角替先生が石の虜（とりこ）になったきっかけは、小学生時代の化石掘り体験。高校で地学部に入ってからは、鉱物の美しさに心を奪われてしまう。インタビュー中も石を見る瞬間、目が違う世界にいってしまっている気がする。地学部では地元の静岡県久能山を歩き回り、地質をくまなく調べる生活を送った。で、筑波大学へは当然、岩石を学ぶために進学。

　大学院時代には、いってみたいからという理由で変成岩、つまり土の中で高い圧力を受けてできた岩をテーマに選び、アフリカのジンバブエへ。

**「いいですよ、アフリカの朝は。赤い光が木を染めはじめ、鳥が鳴き、動物たちが……」**

　あ、また目が違う世界に。でも、アフリカでの研究は危険

78

を伴ったらしい。

「手にハンマーでしょ、リュックには岩石が一杯。で、歩いている場所はエメラルド鉱山」

　それはどう見ても宝石ドロボーですね。

「やっぱり地元警察に連れて行かれた。留置所に一晩閉じ込められそうになったけど、研究者だって理解してくれてね。無事釈放されました」

　良かった。

「で、警察署を出たんだけど、治安が悪すぎて怖くて結局、警察に１晩泊めてもらいました（笑）」

　普通の場所で石を採っていても、子供たちに取り囲まれて大騒ぎになったりするって、そりゃそうですよ。だから、そんなに石に情熱をもつ人は珍しいんですってば。

　その後、アフリカはいよいよの治安の悪化もあり、研究対象をインドへ。近いし、カレーが食べられたら何とかなるからって、そんな理由で？　でも、この辺りから、今回の南極行きの話につながってきます。

「これはインドの変成岩で、ガーネット（柘榴石）が含まれています。こっちの黒鉛という石は、もう少し深いところだったらダイヤになるところでした」

　あ、そっちは興味がある。欲しい！　しかし日本から１万6000㎞、わざわざ石を運んでくるとは、さすが石博士。

「変成岩ができるには高い圧力が必要です。高い圧力というのは高い山が形成されることに関係します。と、いうことは変成岩が発見されたということは……」

　その上に高い山があったということ？

「そう、その山が削られて無くなったとしても、この石を見

れば過去の景色がわかるんです」

　そうか、「変成岩＝高い山」というルールが地球全体で不変だから、どの大陸を掘っても同じ石が出てくるんだ。最初の話につながったぞ。このルールを1つ知っているだけでも昔の大陸の風景を考える手がかりになる、というのは確かに面白いかもしれない。

「このインドの石を南極の石と並べてみたいんです。この石と同じような石が南極にあるはずなんです」

　なぜでしょう？

「南極大陸とインド亜大陸は、1億5000万年前まで1つだったからです。インドと南極の変成岩のつながりを通して、地球の歴史を調べているんです。そして未来の地球を予測します。地質学は天気予報と同じです。数億年先の予報ですけどね。例えば、将来、太平洋はぐっと小さくなって大西洋が大きくなると予測されているんですよ」

　うーん、石を見て未来予想か。スケールが大きい。でも石の中に秘められた過去の情報を読み解く作業はちょっとかっこいい。石への苦手意識、少し改善。

「この石はね、今、1億5000万年ぶりに南極大陸に近づいて、喜んでいると思いますよ」

　あ、また目が違う世界にいってる！

# 7 山岳ガイド・
## 樋口 和生さん
### （中日本航空）

　今回のインタビュー相手は、なかなかの強敵である。山の男である。山の男は口数が少ないのであった。

　樋口さんの南極での肩書きはFA（フィールドアシスタント）である。南極という厳しい大自然に何もわからずに飛び出す人間（その典型例がボクだ）が、死んでしまわないようにアドバイスをする仕事だ。

　研究のために南極に来たのではなく、研究をアシストするのが目的で、観測隊にはこういう立場の人も含まれる。この人に見捨てられたら大変だと思っていたら、

**「『自分のことは自分で』が原則。緊張感を持て」**

　って言われた。まずい、気を悪くされたか。

　樋口さんの日本での仕事は山岳ガイドで、北海道を中心に活動している。山岳ガイド——聞いたことはあるけど、どんな仕事だ？　気になる給料から聞いてみた。

**「自分でガイドして、その分のガイド料をもらうのが大半」**

　山岳ガイドの会社がある訳じゃないのか。そのほかの収入はというと……。

**「登山技術の講習会を開いたり、自然の研究者やテレビ取材のサポート。子供たちのキャンプを主催したりもする」**

　小さい子供を山に連れていくのは、怖くありませんか？

**「危険があるのは、山にいても都会にいても同じだからね。危険があるよって教えて、その経験を積めばいいこと」**

実際に経験することって大切ですよね？

「山に登った、ということがいきなり何かに役に立ったりはしないけどね。子供たちが30歳ぐらいになって何か辛いことがあった時、ふと、山に登ったなぁって思い出せたらいいんじゃないかなぁ。子供の頃の経験って、そういうもんだと思う」

　樋口さんは、大学時代に入った山岳部から山との付き合いが始まった。卒業後仕事が決まっておらず、どうしようかなぁと思っていた時に、知り合いからネパールいきの話が持ち込まれた。ネパール、ランタン谷。森林伐採の進行を理由に、村人が強制的に追い出されそうになっていたのだ。

　そこで、ある団体が小さな水力発電装置を作り、薪を取らなくても生活できるようにプロジェクトを立ち上げた。そのアシスタント役に選ばれたのだ。

「ネパールは10年越しのプロジェクトになりました」

　それは大きなプロジェクトでしたね。

「コンセプトとして『でかい発電機は作らない』というのがありました。街で買えるような簡単な部品で、村人の手で維持し続けられるようにね。今でもランタン谷にいくと、酒を飲んでいけって声をかけられるよ。ランタンでの仕事がひと段落した後に、1人でヒマラヤ山麓をトレッキングしていた際、同宿になったアメリカ人山岳ガイドから野外学校をやっていると聞いてね。それがきっかけで、おぼろげながらその後の方向性が見えてきました。その出会いが、自分の仕事を決定したのかな」

　見習いたいって思える人との出会いは大切。樋口さんがそんな人に出会えたのはまず、樋口さんがヒマラヤに足を踏み

出していたからだ。ここに何か大切なヒントが隠されている気がする。

　さて南極FAに選ばれるのはもちろん、色々な山を巡り歩いてきた人。でも、樋口さんはただの「山好き」と「山のプロ」とを区別して、「プロ」であることにこだわる。南極FAは「プロ」意識が求められる、と。

**「山を歩きながら、お客さんと世間話をするでしょ。でも、その時、脳みその半分は『今、滑落事故が起きたらどうする、ヘリは呼べるか、引き上げられるか』なんてことを考えているわけ。お客さんの体調、技量を見抜くことも含めて、コミュニケーションをとることも必要だしね。その経験を持っていないとFAはつとまらない」**

　山岳ガイドで食べていくには、１人で上手く経営ができないとダメですしねぇ。

**「お金勘定は苦手だったけどね」**

　好きなことが仕事になることは楽しいことかもしれない。でも、好きなことが好きなだけでは仕事の世界では成り立たないのだ。

　樋口さんは、南極は２回目ですね。南極はそんなに魅力的ですか？

**「何もないところがいいねぇ。限られた人数で力を出し合い、意見をたたかわせながらトラブルを解決していくのが楽しいねぇ」**

　山の男は、あくまでも大自然が似合う男であった。

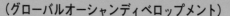

## 8 観測技術員・
## 太田 晴美さん
（グローバルオーシャンディベロップメント）

　船酔い対策には遠くの景色を見ることが大切。そんなこと言ってもボクには便器しか目に入らない。もう酔っちゃったんだもん。

　でも、今日のインタビュー相手の太田さんはめちゃくちゃ船に強い。船に乗ってわざわざ台風を追いかけて研究をするくらいなのだ。見た目は小柄で時々ボーっとしているような女性なのに、1年に200日は船に乗るという。その元気の秘密は何なのだろう。

　太田さんの職業は「観測技術員」という。今回は「しらせ」に乗り込んでいるが、普段は会社が運航する海洋地球観測船「みらい」に積んである様々な分析装置を使いこなし、世界中の科学者に貴重なデータを届けるのが仕事だ。

　いつから海の研究をしようと？

**「もともと、小学生の時に環境の問題について勉強して、自分も解決のために何かがしたいって思っていたんです。そのために地球のことを調べる研究者になりたいと、大学に入って地球環境を学ぶために猛勉強を始めました」**

　そこで海の研究を？

**「二酸化炭素が増えると海水も酸性になります。すると体がカルシウムでできた生物の死骸は溶けやすくなる。で、その溶け具合から二酸化炭素の濃度の変化を調べる研究をしました」**

　うーん、難しい。でも二酸化炭素が様々なことに影響しているのはわかった。

「その研究をさらに進めるために大学院に進み、１カ月間初めて船に乗りました。でも、自分の研究ができたのは最後の１週間で、それ以外は他の研究のお手伝いだったんですよ」

　単独で航海を準備するのはお金がかかってしまう。なので共同で船を出す。でもみんなやりたい研究は違うから、自分の研究だけやるという訳にはいかないのだ。

「その時に『太田は船に向いている』という話になって、今の仕事につながっています」

　どの辺が向いているわけ？

「船に強い、酒に強い、やる時はやる！」

　３番目の適性は何のこと？

「やっとの思いで航海に出て、一生に一度しか見られないような自然現象に向き合うんです。そしてその観測データを待つ科学者が一緒にいるんですから、夜中だろうが徹夜だろうが関係ありません」

　自然現象への情熱が観測技術員の資格なのかもしれない。朝の食堂でボーっとしてたのは、徹夜明けなのだった。大変、失礼した。でも今、仕事を語る目は生き生きしてる。

「『しらせ』に乗り込んでの観測は、ウチの会社としては初めてのこと。それを１人でやるんですからプレッシャーもあるけど、やりがいがあります。『みらい』に乗っている時は、世界中あちこちいけるし、最新の研究に関わっている喜びがあります」

　マゼラン海峡のフィヨルド、北極海のシロクマ……。色んな旅の話はうらやましい限り。でも、本当のやりがいは、旅

行ではないのだ。

　「地球環境を守るためには、大きな力が必要だと思います。大きな力とは、みんなを納得させ社会を変えていく力です。その力を生み出すために私は、最新のデータを研究者に届ける仕事をしているのです」

　地球環境という大きな問題。でも、少しもひるまず、あらん限りの力で解決策をさぐる気持ちは、まさに大海原にこぎ出す船乗りのよう。全く船酔いしないその秘訣は、遠くの大きな目標を見つめ続けることなのかもしれない。

# ⑨ 調理師・工藤 茂巳さん

　工藤さんは料理がうまい、などとは言わない。プロの仕事をうまいと評価するのは、お釈迦様やイエス様に「人間ができてますね」と言うのと同じくらい失礼なのだ。

　でも、工藤さんと長谷川さん（もう１人の調理隊員）の料理はおいしい。おいしい上に美しいのだ。さらに重要なのは、ここが南極であるということ。広く明るい厨房でインタビューだ。

　ものすごく丁寧な工藤さんは、ボクの顔をしっかり見ながら答えてくれる。キャベツの千切りをしながら……。こっちがハラハラするのだが、そんな時に事件は起きた。緊急放送である。

**「渇水警報、発令。関係者は対応して下さい」**

　造水機の故障。工藤さんはいつもと変わらぬ様子で大鍋に水を貯める。

**「みんなの最低限の水は確保しなきゃね」**

　腕の良い調理師は世に沢山いるが、皆の安全確保を意識して調理する人は少なかろう。30人の越冬のために食料38ｔ。工藤さん達はプロの目で食料選定から行ってきた。

**「ハセちゃんはラーメンをたくさん仕入れたよ。３日に１回は出せる計算。多過ぎないかな。僕はこだわりの肉を仕入れたよ」**

　この辺は調理隊員の個性の発揮場所。でもそうやって厳選

した食材でも、5月頃にはキャベツなどの生鮮野菜は尽きてしまう。どんどんメニューに制約がかかってくる。

**「でもね、沢山の品数を毎回出したいの。種類が多ければ、栄養の偏りを防げるでしょ」**

健康のために、あえて制約に逆らうのだ。その力量はたぶん、30年を超す調理の経験に裏打ちされている。で、その経歴を紹介しようかと思ったが、やめた。初めはメモしていたけど、多過ぎるのだもの。ホテルのレストランをスタートに、様々なお店を転々として書ききれないのだ。1カ所にとどまると仕事の仕方が偏ってしまうので良くないと考えたそうだ。もちろん、1つの店だけでしっかり勤め上げる人もいるらしい。

でも、経歴の中で目立つのは17年間の硫黄島での勤務。海上保安庁や気象庁の人に食事を作っていたのだ。

**「絶海の孤島。楽しかったですよ」**

って笑うけど、すごい経験だなぁ。

**「そこで学んだのはね、他人に干渉しないこと。靴下に穴があいていようが何しようが、口出しは無用。本人のやり方を尊重しなきゃ。あと、年下の人でも尊重すること。学ぶことは沢山あるから」**

工藤さんはいつも、穏やかで丁寧なしゃべり方をする。食事の手伝いをするのは基地のルールなのだが、厨房でみんなが楽しく手伝うのは、工藤さんの人柄も大きく影響している。基地で全員がゆっくり会話するのはこの厨房と食堂でだけだから、ここでの雰囲気は越冬生活では非常に重要になる。

**「食事には大きな力があるんです。あるホテルが倒産しかけていた時のことです。社長さんが従業員の昼食を改善したん**

です。従業員の、ですよ。そうしたらみんな元気になって、立て直しに成功した。そんな話もあるんですから」

　食事の力を信じる工藤さんは、だから食べることには厳しい。

「好き嫌いは許しません。食べられないって弱点でしょ。僕が敵だったら、その人が倒れるまで嫌いなものを出し続けます。越冬終了までにみんな、直っているといいですね」

　あくまでも隊員の健康を気遣う工藤さんは、好き嫌いを許さないその前に、各自の好みをチェックしている。全員のことはまだまだわからないですよと笑うけれど、普段の会話の中でさりげなく話題にしていることをボクは知っている。

　そんな調理人魂の工藤さんだけど、実は最近、仕事について考え方が変わったとも言う。

「今までは皆に色々なことをやってあげよう、おいしいものを作ってあげようって思っていました。でも、建築など他の仕事でプロとしてきている人たちを見て、僕にできることは何か考え直させられたんです。そして、自分ができることを真剣に考えてやろう、そう考えるようになったんです」

　最後に観測隊にとって大切な人、西堀榮三郎第1次越冬隊長の言葉を教えてくれた。

「それは『できることをやりなはれ』です。すごくわかったような気がします」

　うーん。ボクにできることは何だろう？　そのことに全力を尽くせているだろうか？

　最後に、大きな質問をされたような感じで、インタビューはおしまい。

# 10 TVプロデューサー・JO Seong Hyeonさん

（韓国テレビ）

　チョさんは、韓国テレビのプロデューサーである。マスコミ業界の人にインタビューを、と思っていたら、先に質問された。

**「何で日本人は南極が好きですか？　韓国の人はそんなに興味ありません。私も来る気はありませんでした」**

　え、ちょっとショック。でも、質問は続く。しかもあらゆる分野にわたって。

**「日本の景気はなぜ停滞していますか？　ルールはルールだという考え方に日本人はなぜ固執しますか？　ラーメン屋を始めるにはどうしたらいいですか？」**

　ボクがインタビューをしたいのに、話が進まない。チョさんは日本のことに大きな関心を持っているのだ。

　チョさんは今回、「南極の涙」というドキュメンタリーを作るため同行している。マスコミには子供の頃から興味があったんだろうか？

**「大学受験の時には、何の夢もありませんでした。『いい成績を取って入れる大学に入ればいいや』という感じで、英語の学部に入りました。韓国の上位の大学の１つでした。でも、意味が感じられなくて１年でやめました。同じことを２度繰り返し、３校目に無名の新設の大学を選んだのです」**

　チョさんはジャーナリズムの勉強を始めるが、そこで映画作りと出会ったのだ。

「やりたいことを自分で選んで勉強できる所でした。先生も
スキルの高い人たちでしたから」

　チョさんは映画作りの魅力に取りつかれ、ドタバタ喜劇の
映画作りをアメリカで学ぶ準備を始めるが、お父さんが病気
になってしまいあきらめることになる。そして選んだのが今
の放送の仕事なのだ。

「先輩の作ったドキュメンタリーを見て、この仕事もいいか
なって。普通の人の Love and Death（愛情と死）を見つめ
るドキュメントを作りたいです」

　ドタバタ喜劇からはずいぶん、路線変更じゃありません
か？　と聞くと、

「笑いも愛情も死も、人生には大切なことですからね。私は
父と病院に一緒にいきました。一緒に帰るはずが、帰りは
別々になってしまった。愛する人との良い別れってどんなも
のだろうか？　それ以来ずっと考えています」

　でも、今は朝の番組づくりが仕事の中心らしい。

「番組のネタは、新聞や本を読んだり、自分の経験から探し
てきます。昭和基地を選んだのは、日本文化に興味があった
からです」

　来てみて感想は？

「伝統の大切さを感じました。50年以上、南極で特に困難
な場所で基地を維持し、研究を続ける日本はすごい」

　チョさんは本当に基地内をくまなく歩き取材して回った。
そして１年で日本語を覚えたのと同じように、様々な日本の
文化も吸収した。すっかり日本人に馴染んでいるように見え
る。違和感はないのだろうか？

「世界中あちこちに行きましたが、大切なことは、一度自分

のライフスタイルを捨てて、その国の習慣を身につけること
だと思います」

　人がライフスタイルを一度捨てるって、そんなに簡単なの
かな？　でも、チョさんはその文化に適応しながらも、自分
の中にしっかりした芯があるようにも思える。

「私はやりたかったことを、あきらめたことがないです」

　え、じゃあもしかして？

「そうです。映画もまだあきらめていません。いつか自分で
映画をつくります。私は『自分の夢50』というリストを
作っているんですよ」

　自分の夢を明確に表明することは、意外と難しいことだ。
ボクも考え直してみよう。

　もしかしてそのリストに「ラーメン屋を出すこと」が入っ
ているの？　と聞くと、チョさんは笑っていた。やる気かも
しれない。

# 11 レンジャー・
## 秋本 周さん
### （環境省）

　先に断っておくが、今回の話には誤解が連発である。紹介する職業はレンジャー。この時点で、誤解する人がいるかもしれない。ボクも幼稚園時代の自分だったら、いつ秋本さんが正義のヒーローに変身するのかワクワクしてしまうところだった。危ない。

　でも秋本さん自身も、大学生になるまでレンジャーは林野庁の職員だと勘違いしていたのでアイコである（何が？）。林野庁ではなく環境省である。そう、レンジャーとは国立公園を管理し環境を守る人なのだ。自然のプロである。

**「大学は、『まず森を知らなければ』と考え、農学部を選びました」**

　木の勉強ばっかりやったわけだね。

**「もちろん林業や土壌を勉強しましたが、卒論では森林風致<ruby>風致<rt>ふうち</rt></ruby>学の研究をしました」**

　ん？　風致って景色という意味だっけ？　どういうこと？

**「日本には〇〇富士ってたくさんあるでしょ。日本人は富士山が大好きなんです。人の生活と山、どんな関係なのか？ 心理学の観点から富士山を検証したんです」**

　うーん。農学部って農業のことばかりやるのかと思ってた。

**「神社と町の関係を研究する人や、川に近い林の生態系を研究する人もいました。カエルを保護するための道路工事方法の研究なんてのもあるんですよ」**

一口に森林と言っても、様々なことが絡み合っているのだ。

**「でも、もっともっと勉強しないと就職後に苦労すると思い、大学院に進みました。そして山形県の里山を巡り、集落の人が神様をお祭りする山について研究しました」**

　ここで面白い心理学ネタを披露しよう。秋本さんに聞いたんだけど。人間は何か大きなものを見たとき、角度にして10度見上げると、「おぉすごい！」と感銘を受けるらしい。でも、20度以上見上げるようなものだと、大き過ぎてあまり心に残らないのだ。だから神様の住む山は、里から見てこの角度に収まる山が選ばれる。心に残る大好きな山が、大切な山なのだ。

**「私が大好きだったのは、自分の実家の裏山。でも大好きな遊び場だったのに、車が入り込んだり、ゴミが捨てられたりするようになりました。その時の許せない、山を守らなきゃという思いが今の仕事を選んだ原点です」**

　今、あちこちで自然を守ろうって声が上がっている。守らなければならない理由は様々だけど、結局は「大好きだから」という思いが大切であるように思える。

　で、レンジャーは何をするの？

**「保護区を設定したり、野生動物を保護したりします。国立公園内での工事について許可を出したりするのも仕事です。不正な輸入動物がいないかペットショップにいく、そんな係の人もいますよ」**

　好きな野山を歩き回れていいねぇ。

**「それは誤解です。人間相手の仕事です。でね、例えば保護区ではチョウチョを捕ったら違反です。でも、そのチョウチョを保護区外に追い出してから捕まえる。こういう人がい**

たらどうしますか？」

　あ、保護区外だったら違反じゃないのか。物言わぬ自然。そこでの行動を律するのは法なのか、モラルなのか。そんな現場での仕事は人間の汚い部分をイヤというほど見せつけられ、辛いものですと秋本さんは言う。

　さて今回、秋本さんが南極にいる理由。それは、昭和基地での活動が、南極の環境に大き過ぎるダメージを与えていないかを監視すること。世界各国が協力して作ったルールを守ってもらうために来ている。

**「南極は人の手垢が本当についていない所なんです。だからこそ、そこに入る人の行動が重大な影響力を持ちます。例えばそこでおしっこをする。ただその１回が、その地域初めての汚染ということになるのです。その重大さをどれだけ意識して行動しているか、ですよね。意識されていないとすれば、それを止めるのが私の仕事です」**

　レンジャー。自然と人間の間に立つ存在。スーパー戦隊モノのレンジャーは、怪獣と人間の間に立って怪獣に睨<sub>にら</sub>みをきかせていた。秋本さんたちレンジャーは、自然と人間の活動を見つめている仕事なのであった。

# あとがき

　夢をかなえるためにはどうしたらいいですか。ボクはこう、即答します。
「夢をたくさん持つといいよ。確率、あがるじゃん」
　小学生の頃、南極探検の本を読み、その冒険に憧れていました。でも、別の日にはロケット技術者になりたくなったし、中学生では本を書く作家さんに憧れた。正直に言います。南極観測隊になる夢は忘れていました。でも、大人になったある日、新聞の「観測隊同行者募集」の記事を見た瞬間、忘れていた夢、氷河や砕氷艦の姿が甦ってきたのです。
「将来の夢が見つけられません」という人にも同じことを言います。すっごい夢を掲げなくてもいいじゃないですか。でっかい夢、ちっちゃい夢、たくさん持って、できるところから挑戦していくのもいいんじゃないかな。
　夢を叶えるコツ、もう１つ。
「色んな人に相談すること」
　１人じゃないよ、色んな人に、だ。
　絶対に誰かが、キミの夢実現のためになる情報を教えてくれる。キミの夢の実現に手を貸してくれる人が現れる。こういうと、もしかするとキミは「そんな都合よくいかないよ」って思うかもね。でもね、自分の夢を自分一人の力だけで実現させた人はこの世にいないんだよ。
　例えば南極観測隊。大きな夢を持って出発し大きな成果を持ち帰る。それはぼう大な先輩たちのアドバイスと、スタッフの応援があるから。そして観測隊員も帰国すると、次の観

測隊が安全に旅立てるようサポートする側にまわります。

　南極にたどりつく方法。それは誰かに支えてもらい、誰か
を支えること。ボクはそう思っています。

　ボクの同行者としてのミッションは、ボクがはたらいてい
た学校と衛星回線をつなぎ南極から授業をすることでした。
学校から映像がつながった瞬間、モニターにはカメラをのぞ
き込む生徒と先生の顔がありました。

「おーい、元気かー」

　という声に、まさか涙が出るとは思わなかった。油断した。
２万キロ近く離れて応援してくれる人がいる。それがこんな
に嬉しいこととは思いませんでした。

　自分を応援してくれる人なんているのかしら……不安にな
るかもしれないね。でも、世界は広い。今はインターネット
という道具もある。絶対、キミはキミを応援してくれる人と
出会う日が来るはずです。勇気を持って、自分の夢を大声で
叫ぼう。きっとキミの夢はかないます。

　最初にカメラをのぞき込んでいた先生は、今、ボクの奥さ
んになっています。その時は、そんなことになるとは思わな
かったけど。そして、今度はこの本を出版することを力強く
応援してくれました。全ての感謝を妻、葉子さんに捧げます。

**著者プロフィール**

**酒井 誠至**（さかい せいじ）

1969年、東京生まれ。
東京水産大学大学院修了。
高校理科教員として北海道に赴任。
北海道登別明日中等教育学校に在職中、
南極地域観測隊同行者の募集に出会う。
生徒、職員のあと押しを受け南極へ。
貴重な経験をもとに、地球の素晴らしさや謎をやさしくふかくおもしろ
く、一緒に感じられるような授業を作りたいと日々努力をしている。
もっとすごい冒険者がでてくる日を想像しながら、
小学校での講演も楽しみながら行っている。

---

## 南極のたどりつき方　～キミも南極に学ぼう～

2024年2月15日　初版第1刷発行

著　者　　酒井 誠至
発行者　　瓜谷 綱延
発行所　　株式会社文芸社
　　　　　〒160-0022　東京都新宿区新宿1−10−1
　　　　　　　　　　　電話 03-5369-3060（代表）
　　　　　　　　　　　　　　03-5369-2299（販売）

印刷所　　図書印刷株式会社

---

ISBN978-4-286-30053-5